中国结

基础篇

阿瑛 编著

 湖南美术出版社

目 录

序

　　在传统工艺中，中国结是最透着古色古香韵味的，其制作技巧在近几年得到了很好的传承与推广。

　　结识中国结是一种情缘。

　　一款款作品，是生活化的经典，是经典的生活化。古老的中国结艺，在巧思妙手下不断地变换出新意，简单的基础结体经过组合，成为各种新的结饰编制而成的发夹、耳环、发簪、腰带等配件。生活的点缀多了份惊喜。

　　相信读者们看到这本关于中国结基础入门的书，见识到中国结的活泼与生活化，一定会爱上这份博大精深的结艺之美的。一条条平凡无奇、五颜六色的线绳，变成一件件精巧、实用的家居或个人用品，不论自用还是送人皆美观大方。

中国结

前　奏

认识中国结

早期 中国结给人的印象，一直是传统的红色挂饰，只能装饰在墙上，充满了古典韵味。事实上，如今的中国结，早已被人们广泛活用于日常生活中，从发夹、别针、项链、耳环、腰带到鞋带，处处皆可见到它的踪迹。

有时，一座不起眼的时钟，一个娃娃，或一个动物造型，甚至是一盆花，我们只要为它系上一个中国结，整个家居气氛的感觉就完全不同了。因为中国结本身气质优雅，再加上各种线材及配件的花色越来越多，只要懂得搭配，均能使它发挥画龙点睛的妙用。

简单来说，中国结其实是一种生活化的结绳艺术，它不需要使用很大的空间或复杂的工具，只要有一两条线绳及剪刀，就能变出很多不同的东西，而且不分男女老少，皆能很轻松地上手，相信这也是中国结历千年不衰、流传迄今的主要原因。

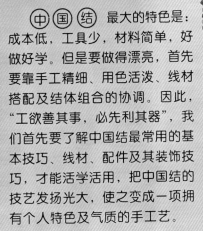最大的特色是：成本低，工具少，材料简单，好做好学。但是要做得漂亮，首先要靠手工精细、用色活泼、线材搭配及结体组合的协调。因此，"工欲善其事，必先利其器"，我们首先要了解中国结最常用的基本技巧、线材、配件及其装饰技巧，才能活学活用，把中国结的技艺发扬光大，使之变成一项拥有个人特色及气质的手工艺。

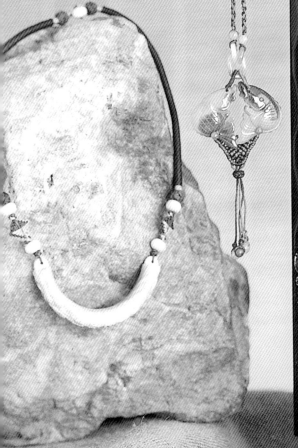

常用工具介绍

1 剪　刀： 中国结最好使用专门的剪线剪刀，刀口较一般剪纸的剪刀锐利。

2 打火机： 结饰完成时，用打火机烧黏，比使用强力胶还要快速及牢固，但须注意火候的控制及时间的长短。

3 老虎钳： 主要用于打结调线，尖头型的最好。因为打细线时，手指头太粗，往往不容易抽出线头；而打粗线时，手指的力道又嫌不足，须用老虎钳来调线及固定结体，以保手指不致疼痛，也可让结体外观更加工整。

4 珠　针： 当结体较大或线路较复杂，手指不易抓牢时，可用珠针将结体固定在工作板上。如此不但看得较清楚，也有助结饰更丰富的变化。

5 工作板： 一般工作板最常用橡胶垫，其次为软木塞或保丽板垫，主要与珠针搭配使用，固定结体，亦可保护配件不致损坏。

6 强力胶： 一般用于粘珠子、耳夹、眼睛之类的外加配件。

7 毛线针： 又称套色针，最常用于第 2 条线，以取代手指头，轻松地穿梭于结体之间，小支的又可用来缝珠子。

8 浆　水： 每件中国结完成后，皆需经上浆的程序，以固定结体，避免变形，而且也有防尘的作用。但须注意的是，浆水含有化学成分，不可近火，以免水洗掉上浆的功能。

9 水彩笔： 用于蘸浆水均匀涂刷结体用的。下次蘸浆水即可软化，不可用清水洗。（注：蘸浆水时渗透即可，不可将整瓶浆水倒在结体上，或将结饰丢进浆水里浸泡，以免线材颜色变沉，不再鲜艳。使用后让其自然风干。）

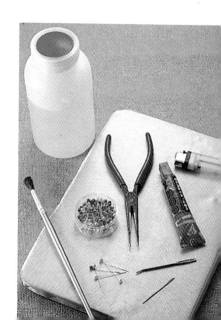

各种线材的运用

　　(随)(着) 中国结日益生活化，各种线材的运用，也更加活泼及多样性，例如丝线、金线、棉线、皮线、扁线、流苏线……甚至近年流行的钢丝线，都有其发展空间。每种线均有粗细或种类之分，样式之多，也令人眼花缭乱，可说是随便配配都可以配出十分出色的好作品。

　　材料的不同，主要关系到整个作品的感觉与风格，选择什么样的材料要由我们想在作品中表现的味道来决定。至于线条的粗细则是决定作品大小的一大关键。

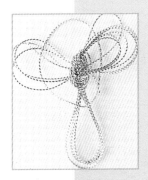

丝线：丝线由于柔软，不易变形，是中国结最常用的线材。

金线：金线除了部分直接打成作品外，最常见的是当结体的配色，让完成的作品呈现出华丽感。

流苏线：流苏线细滑，主要用来当挂饰的穗子。

跑马线、棉线：二者虽较少用，但用起来却有丝线无法表达的特别质感。

皮线、钢丝线：由于线体较硬，能运用的范围极有限，比较适合简单造型的结体。

各式各样的配件

制作 中国结首重气质，不需太过明亮的颜色。因此在使用珠子或小配件来当装饰时，须考虑它的整体性，不要使用太大或太过鲜艳的饰物，以免反客为主，抢去结体本身的风采。

平时我们常用的配件，可简单分成三种。第一种是"主体配件"。当中国结搭配的主体东西较大，如本书"作品欣赏"部分所介绍的扇子、茶壶、日本娃娃、鸵鸟蛋等等，此时，主角是结饰上的物品，中国结只是为了衬托物品的价值与实用性，我们就要以物品为主，针对物品的使用需要设计结体的外观和配色。譬如一个深咖啡色的小壶，若配上一条也是深咖啡色系的中国结，即使结艺打得再好也看不清楚，就失去了红花绿叶的衬托作用。

第二种是"装饰配件"，如珠子、纽扣、铃铛、小花、半面宝石等等，主要作用是修饰中国结，增加整体的美观。比如线材颜色太深或结体太单调时，可用适当的配件让结饰更抢眼一些。或者因为有些结体本身有空洞，需要填补，皆可使用这类装饰配件。但东西不可太大或太突兀，一切以结体为主。

第三种则是具有某种功能的"金属配件"，譬如项链扣、手链扣、耳环夹、别针扣等各种圈圈或钩钩，主要是为了让中国结成品更方便实用，但应注意金属容易氧化，以及它和结饰是否搭配的问题。

其实，我们只要稍用心观察，就会发现生活周围，仍有许多东西可以搭配中国结，但运用之妙，存乎一心，全看您如何巧思变化了！

基本技巧示范——盘长结

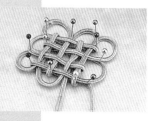

1 参照公式先打一个基本盘长后再将针拔出。

【说明】

"左包套"、"右进套"

所谓"包套"即是后面的"套"包前面的"套",走全上(去)全下(回)。

所谓"进套"即是后面的"套"进前面的"套",一样全上全下。

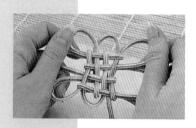

2 先不管耳翼大小及对称方式,将结体左右拉小。

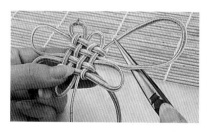

4 中间形体确定后便可对照其比例调出耳朵的大小。

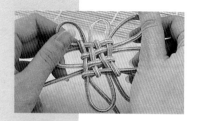

3 左右拉小后再上下拉小,形成一个正方形,调出所需要的结体大小。

5 正方形的耳翼通常亦是上下左右对称。

打结诀窍

- 收线时要上下分明，上面去，下面回。
- 调线时先左右拉至一定的大小，力道要一致，再上下拉齐，力道也要相同。
- 当中间的结体完成后，即用左手压住结饰，固定结体，右手调线，并依个人喜好将耳朵调至适当大小。

打结基本概念

虽然每种结体不见得相同，打法也有出入，但只要抓对重点，便可打出美丽的结饰。在此提供一个共通的概念与重点让读者参考：

一、套与耳要分明，钉板时亦要工整，才不致看错线头的行进方向。

二、钉直套，上下较清楚。走全上全下（例如盘长结即是采用正面打结的方式）。走全下全上（如图锦是背面打结者），选对方式则较易于调线，但仍得依个人习惯而定。

三、先将结体调出来后，再左手抓紧结体，调出所需的耳朵大小，如此较易形成。

四、最后别忘了上浆水，以确保结体持久美丽、不变形。

小茶壶

【说明】

线材：玉线A

结体：盘长结、绶带结、酢浆草结

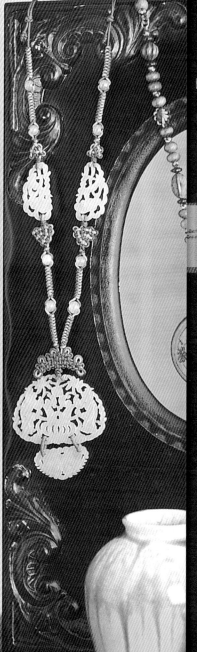

基　础

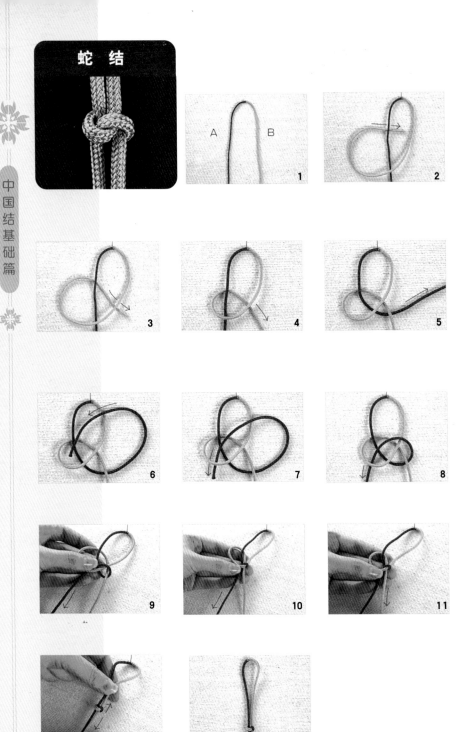

蛇 结

平结

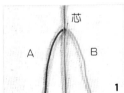

芯

A　　　B

1

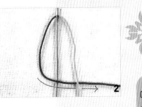

2

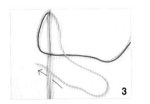

3

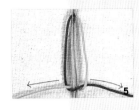

4

5

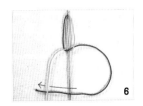

6

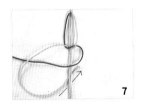

7

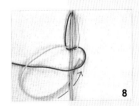

8

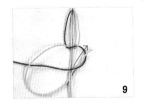

9

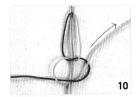

10

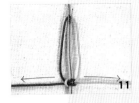

11

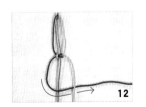

12

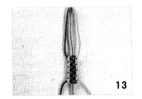

13

双纽扣结

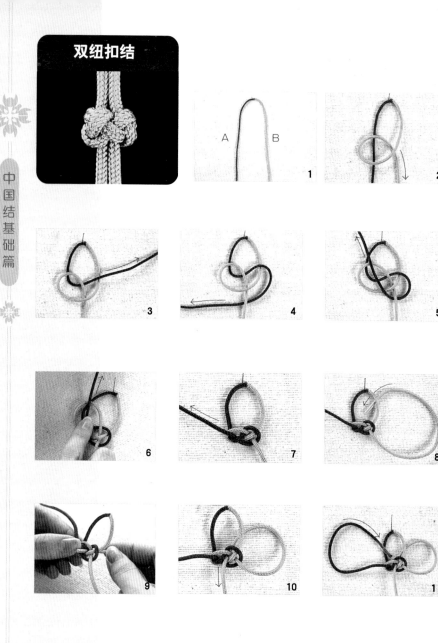

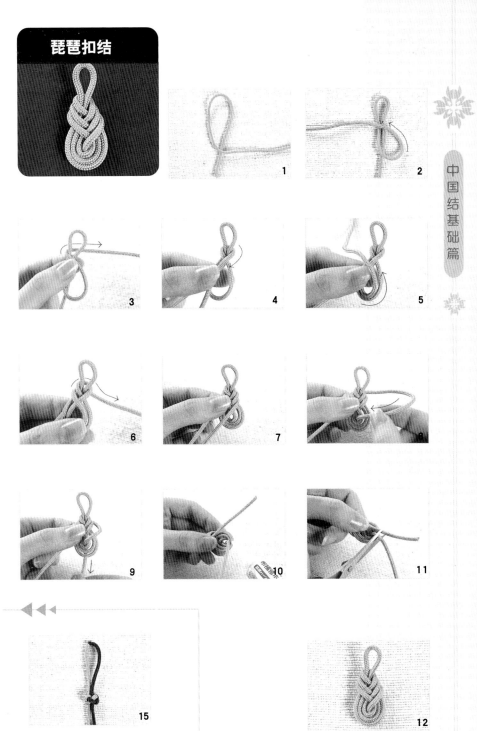

琵琶扣结

吉祥结

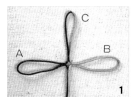

1

2

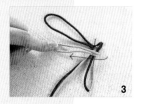

3

4

5

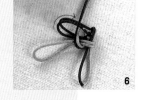

6

7

8

9

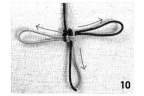

10

11

12

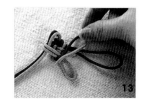

13

14

16

15

16

17

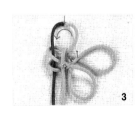

18

19

团锦结

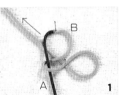

A   B

1

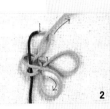

2

3

4

5

6

7

盘长结

1

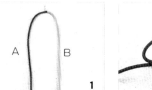

2

3

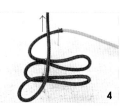

4

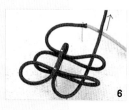

5

6

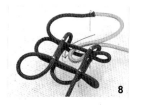

7

8

9

10

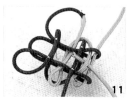

11

12

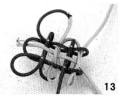

13

14

中国结基础篇

18

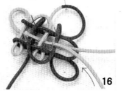

15

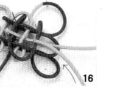

16

17

18

19

20

21

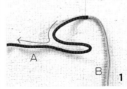

22

23

酢浆草结

A

B

1

2

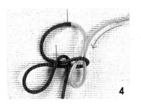

3

4

5

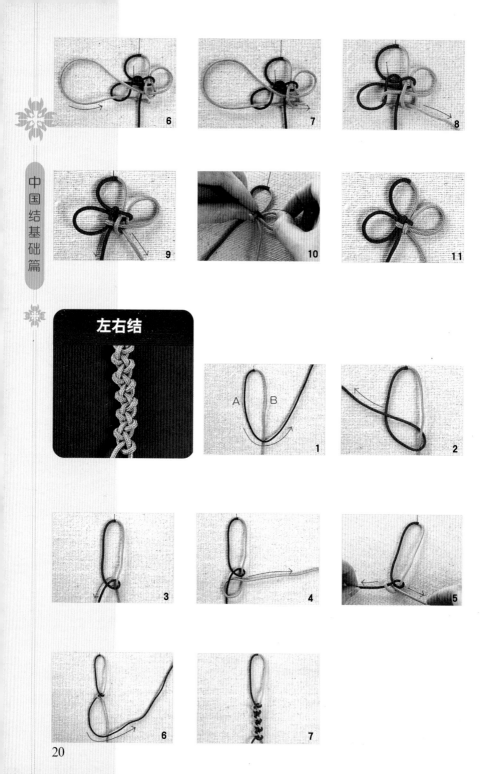

左右结

四股变化结

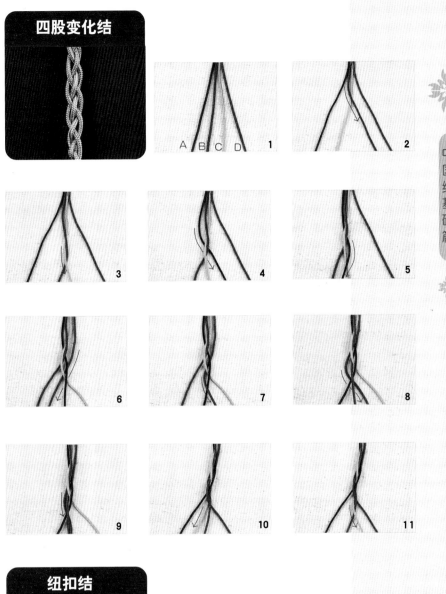

A B C D 1

2

3

4

5

6

7

8

9

10

11

纽扣结

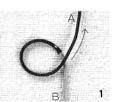

A

B 1

2

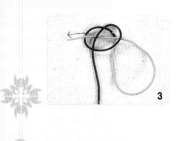

3

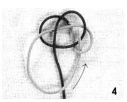

4

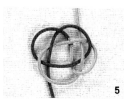

5

7

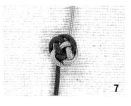

6

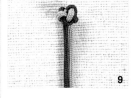

8

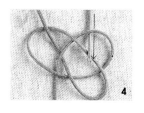

9

双钱结

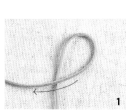

1

2

3

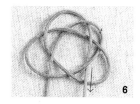

4

5

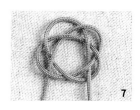

6

7

梅花结

1

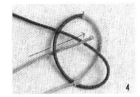

2

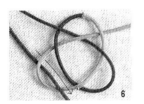

3

4

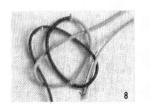

5

6

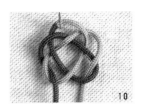

7

8

9

10

【说明】

以上均为最基础的中国结结艺法，可以直接成为作品，也可以将几种结艺组合成为造型各异的配件或挂饰。在本书稍后的"入门"篇中将重点介绍中国结的变化运用。

同心穗

1 流苏取中心点平均包于丝绒上，再由右边任意取一条往左边绕。

2 绕约1厘米左右，将线头烧黏在流苏上。

3 第二次将流苏丝线尾端往上翻，同样由右方任意取一条绕于其上，注意必须长于第一次。

4 最后由上往下翻，最外层绕进金线较漂亮。先将金线在左边留个圈，再由右往左绕。

5 收线时将线头穿进圆圈内，再由右边拉紧藏于绕线中，最后上下剪掉即可。

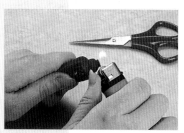

6 将流苏高度调整好后，将里头的丝线剪掉烧黏于流苏上，如此才能固定，不至于掉落。

吉祥穗

1 两股流苏取中心点先打一个逆时针吉祥鞭炮拉紧。

中国结基础篇

2 将丝线穿进流苏中间，须注意井字面朝外，十字面朝自己，接下来则按与之前相反的方向打吉祥鞭炮。

3 打到所需长度后，同样将丝线剪掉烧黏。

斜编穗

1 先将流苏取中心点套于木珠上，两色平均包满木珠。

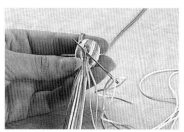

2 将线头往回折，从旁边开始走，压挑、压挑。

3 每个线头平均走完后，由于较稀疏，所以要在丝线上再续上部分流苏。最后是烧黏收线。

25

扇扇飘香

【说明】
线材：玉线B
结体：团锦、盘长变化

中国结

入门

27

结饰的变化及运用

十全茶壶垫

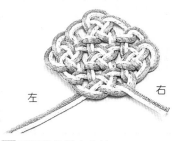

左　　　右

1 用双线编好十全结。

2 收线：左线压、挑近右线，成为上下线。（压：从上方跨过；挑：从下方穿过。）

3 先剪去下线。

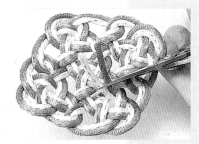

4 再剪去上线。

5 将线头用打火机烧黏。

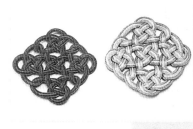

6 左边：使用一条扁线编结。右边：用三条 5 号线一起编结。

7 用两条 4 号线连续编两个十全结。

结饰的变化及运用

五福水晶盘

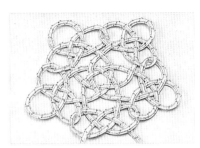

1 编好五福结。

2 左线挑、压进右线，成为上下线。

3 烧黏线头。

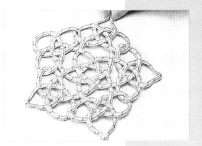

4 可以在耳翼上塑形。

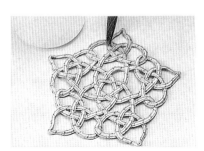

5 用浆水固定。

6 耳翼经过塑形的结。

7 耳翼没有塑形的结。

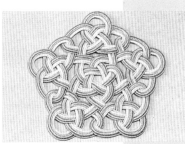

8 双线编结，有色彩变化。

作品欣赏

六合杯热

【说明】

线材：玉扁线

结体：梅花结

作品欣赏

五福锦袋

【说明】

线材：玉扁线

结体：双钱结

33

高贵别针

1 编好团锦加酢浆草的结，为方便
读者学习线头用紫色线。

2 将紫色线穿入第 1 耳。

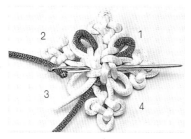

3 由第 1 耳穿入第 2 耳。

4 由第 2 耳穿入第 3 耳。

5 由第 3 耳穿入第 4 耳。

6 由第 4 耳穿入团锦结，从结体中
间出来。

7 完成作品。

8 不同的线，可做出不一样大小
的结形。

结饰的变化及运用

琵琶结发夹

1 取线做一个套。

2 长线做第 1 个圈。

3 同上图做第 2 个圈（为方便读者学习，蓝色线换成水蓝色）。

4 为方便读者学习，水蓝色换成桃红色。

5 同图步骤 3，做第 3 个圈。

6 将桃红色线穿入三个圈后面。

7 右边：背面剪去线头烧黏即完成。左边：一开始可先做一个纽扣结，再编琵琶结。

8 完成作品。

团锦吸铁书架

1 准备团锦结与套色材料。

2 从右线开始(人字面)。

3 顺着线,到背面继续跟线(入字面)。

4 重复步骤2。

5 重复步骤3。

6 重复步骤2。

7 重复步骤3。

8 一样的动作直到所有线都有双色。

9 跟好线的团锦结。

10 背面入字面，左线进入右线。

11 剪取线头并烧黏。

12 在背面粘上磁铁（入字面）。

13 也可以直接插上珠针（左边）。

14 正面粘上黑色小珠。

15 各种不同配色的成品。

16 有磁铁的团锦结。

团锦领带夹

团锦珠针结饰

结饰的变化及运用

挂饰

红鹅挂饰

【线材】

玉线 A
2 米 × 1 条 (主线)
0.5米 × 1 条

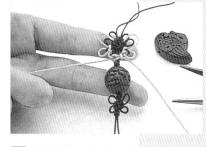

3 打完酢浆草结后，线头直接往上打
一个平结收线。

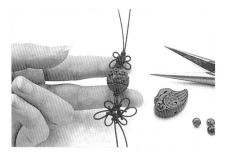

1 先打两个 6 耳团锦组合圆珠后，再打一
个 8 耳团锦。

4 主体放好后，打一个纽扣结，未调整
前中间再挂一条线，如此便可有四
个线头出现，再放珠子收线即可。

2 配色中心点放于团锦中，左右拉线头
与团锦耳翼一起打一个 2 耳酢浆草结。

【线材】

玉线 A

2 米 × 1 条（主线）

1 米 × 1 条

3 配色是起点缀作用，故耳翼不可
过大，小小的就可以了。

1 先打一个 8 耳团锦，靠近主体的两
个耳翼则加打酢浆草结做装饰。

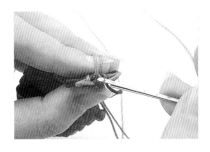

4 套完将线头上的胶剪掉后藏于结
体中。

2 配色取中心点往两边套色，跟着主
线的线路走即可。

5 尾巴部分打个双联结，再打麦穗结
收线即可。

小猪挂饰

【线材】

玉线 A

2.5米×1条(主线)

0.5米×1条

3 将线头穿到对面的角耳点缀后，
再准备收线。

1 先打一个两来回基本盘长结。

4 将两个线头从后面中间穿出，烧
黏后再藏于盘长结中。

2 配色中心点藏于盘长结内，线头与
盘长耳翼打一个两2 酢浆草结。

5 最后将所要装饰的东西组合上
去，打麦穗结收线即可。

中国结基础篇

45

结饰的变化及运用

红粉佳人

◯ 发簪

【线材】

粗扁线
1 米 × 1 条
粗金扁线
0.83 米 × 1 条

4 四个线头交错，打一个 6 耳团锦后，
再重复上述动作，但方向相反。

1 两线各取中心点交叉压挑。

5 对照上方做对称结体。

2 将深色线摆在金线下方。

6 收线时先收里面的一条，亦是金
线部分二线烧黏。

3 左边线头往右走，挑压挑压，再
调出所需的形状。

7 最后将深色线头以同样方式烧黏即可。

【线材】

细扁线(约0.83腰长)

3.33米×2条

2.5米×2条(浅色)

3 同样结体再打一次便可出现倒
  心形。

1 深浅线各一条取中心点先固定
  后,再同发簪打法打一个结。

4 重复上述动作正心拉紧,倒心放松,
  即可做出无限长的腰带。收线时先
  打一个纽扣结再收掉部分线头。

2 深浅各交叉压挑一次,即可调
  出心形式样。

5 垂下来的线头打秘鲁结即可收线
  烧黏。

吉庆有余

【说明】
线材：4 号、5 号丝线
结体：吉祥结、团锦结、盘长结

结饰的变化及运用

美人卷双帘

蝴蝶结

【线材】

4 号线加金
1.33 米 × 1 条
金线
2 米 × 1 条

3 卷完所需长度后，打双联结固定。

1 4 号线打个双联结后取金线打个死结以固定两条线。

4 打两边时，须记得将死结打开。两边都卷好后，便可将 4 号线烧黏，留金线即可。

2 二线同方向转，让二者卷在一起。

5 结尾的地方打单线双联结固定即可。使用方法即为上面的圈钩在墙上，两线包住窗帘打个蝴蝶结，既简单又别致。

吉祥团锦变化结

中国结基础篇

【线材】
细扁加金线
1米×2条
2.5米×2条

4 两条线皆打好后，便打双联组合再收掉两个线头。

1 取一长一短两条互绕一个圆圈后开始交叉编结。

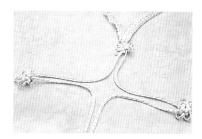

5 打一个主线6耳团锦，左右各打两个单线6耳团锦。

2 以互相交叉压挑的方式，编至我们所需的长度。

6 中间打吉祥结组合调整。

3 长度足够后便先收掉两个线头，留两条出来即可。

7 最后将流苏绑上去即大功告成。

作品欣赏

异国风情

【说明】

线材：6 号丝线、玉线 A

结体：实结、团锦、盘长变化

53

礼物

礼盒平面设计

① 先以钉板或手打方法走单线 8 耳团锦。

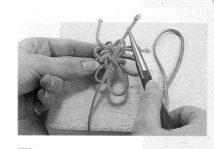

④ 绕至一圈，回来后同样再穿进背面
一个套中，且要与之前的线路交叉。

② 调出所需的耳朵大小后，取一线头
回过来收线，二线头交接处上胶粘
压，再将多余线头剪去。

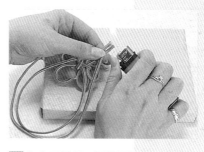

⑤ 绕完两圈后，再松开礼盒，将两个
线头烧黏并藏于结体中。最后从正
面粘上装饰珠子，套回盒上即可。

③ 另取一条线，穿过结饰背面其中一个
套，先将起头点压住，再做其造型。

立体包装设计

【线材】

粗金线
2米×1条

1 先将包装纸用透明胶带固定住，再取金线绕两圈打个死结。

2 将两个线头往主圈下方放松排出上下两个耳朵，一共四耳。

3 将两线头往中间放好后，便可取四个耳朵打吉祥结一次，并调至所需大小。

4 线头部分则打单线双联结后松开。

5 最后将整个造型用剪刀做修饰即可。

作品欣赏

还君明珠

【说明】
线材：粗华丽线
结体：团锦、盘长变化

缠线的运用

【线材】
玉线 A
0.5 米 × 2 条（主线及双钱环）
蛇腹线
0.33 米 × 1 条
5 号线
5 厘米 × 1 条

3 将线头藏在中间，另外取一小段 5
号线，用双面胶包住，再取蛇腹线
烧黏其上。

1 套住壶盖后打一个纽扣结拉紧。

4 运用双钱环藏住蛇腹线线头，再
将其双钱环线头调紧收掉即可。

2 套进两个事先打好的双钱环后，
将一个线头绕过茶壶耳打一个单
线纽扣结。

编结的运用

【线材】

玉线 A

0.5米×2条（主线及双钱环）

1米×2条（编结）

4 取右上线头从中心线下方绕过来
压住左下线头。

1 套进壶盖后打一个纽扣结拉紧。

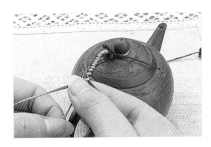

5 重复步骤3、4的动作连续打，每隔
一阵子拉紧中心线并往上推，使
其扎实。

2 套一个双钱环后再取不同色线两
条互相套住中心线，四个线头则
以左上、左下、右上、右下区分。

6 只留一个线头收线，其余全部烧黏掉。

3 取左上线头从中心线下方绕过来
压住右下线头。

7 放进双钱环后，将线头绕过茶壶
耳，打个单线纽扣结，将线头藏入
双钱环中，调紧收线即可。

作品欣赏

青花扇

【说明】

线材：4 号丝线、中粗金线

结体：盘长结、团锦结

圣诞快乐

1. 取红绿线中心点包铁丝，打同方向平结。

4. 使铁丝弯曲，折成所需要的圆心形，铁丝交接处事先打好的结体穿过固定组合。

2. 将铁丝绕满后，取一个线头往回包，打单线双联结后收线。

5. 将线头回头打单线双联结收线，最后把所需要的装饰组合上去即可。

3. 取另外一条线随意打自己喜欢的结体，注意大小要适中。

作品欣赏

四季如春

【说明】
线材：老鼠线
结体：琵琶结、盘长及团锦变化

众星拱月

【说明】

线材：细扁线

结体：实结、团锦变化

想飞的心

蝴蝶

【线材】

4 号线（一对）

1.5 米 × 1 条

5 号线

1 米 × 1 条

金线 0.5 米 × 1 条

4 两片翅膀完成后，先上浆水，钉出所需要的造型。

1 两线打一个双钱结后，取粗线打一个 2 耳酢浆草结，将耳朵留大。

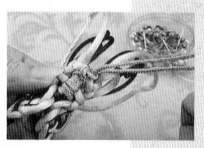

5 浆水干后再取金线，将两片翅膀绕在一起。

2 左边耳朵做酢浆草结的 1、2 套，再做一个 2 耳酢浆草结。

6 绕完后将两线头打死结固定，亦充当蝴蝶的头部。

3 将细线穿过酢浆草结后，两边交叠出造型，再将线头收进酢浆草结中粘牢。

7 将线头卷粘在一起，胶干了后可上浆固定其弧度。

蜻蜓

【线材】

细华丽线

1.33米×1条(身)

0.67米×1条(翅)

4 连续打八个双联结后打一个纽扣结。

1 先打一个2耳酢浆草结当翅膀。

5 再打一个纽扣结，将翅膀烧黏于其上并拉紧。

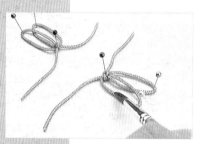

2 两边打完后先上浆固定形体。

6 打一个纽扣结后穿珠子回过来打平结收线。

3 取主线中心点打双联结。

7 将线头留一段距离剪掉当蜻蜓的脚。

娃娃钥匙圈

中国结基础篇

【线材】

6号线

0.5米×4条(身)

0.67米×2条(手)

0.33米×4条(脚)

1 取两条线打一组结拉紧当脚。

2 再取彩色线两条，打吉祥鞭炮结包住脚当裤子。

3 打鞭炮结时，便慢慢将脚的线头烧掉。

4 两脚打完后，再打两组平结组合当身体。

5 身体打完后，将旁边线头烧黏，只留中间四个线头。

6 取一条线中心打纽扣结，后加一条开始打鞭炮结。

7 打到所需长度后，便烧黏两条，剩两条打纽扣结。

8 打完纽扣接后再烧黏，小心不可烧黑了。

11 贴双面胶，将头发粘于其上。

9 取身体、手、头组合起来。留一条线收钥匙圈，其余皆烧黏于头顶。

12 刘海部分要粘胶，挑开后便大功告成了。

10 钩住钥匙圈后，回头打单线双联结收线。

中国娃娃

【说明】

线材：5 号丝线、蛇腹金线

结体：团锦结、实结、盘长变化

◯双钱手链

中
国
结
基
础
篇

【线材】

钢丝线

0.67米×2条

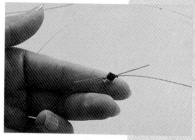

3 双钱结打好后互穿夹扁。以同样
动作做完所需手链的长度。

1 取两条钢丝线互穿于两个挡珠与
水晶钻之间，用钳子将挡珠夹扁
卡住，使水晶钻固定。

4 收线时先用挡珠将线头固定，穿
进金属头里面，再用挡珠固定一
次，最后剪掉包住即可。

2 钢丝线较硬，打双钱结时要小心，
以免留下折痕。

祥云项链

【线材】

钢丝线

1 米 × 4 条

3 结体打好调到所需形状后再用珠子固定。

1 夹好三个水晶钻后先打一个双钱结。

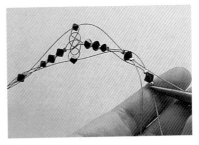

4 共四股线，两条一组交叉做压挑，交错点夹珠点缀，重复动作至所需长度。

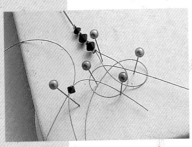

2 将双钱结的左右线头各退一步，穿珠后再由上往下做压挑卡住结体，此时再左右各穿一条线，于珠子当中。

5 收线时同手链一样用挡珠固定即可。

作品欣赏

日本娃娃

【说明】

线材：6 号丝线、玉线 A、老鼠线

结体：实结

图书在版编目(CIP)数据

手工坊中国结DIY系列(一)/阿瑛编著.—长沙：湖南
美术出版社，2006
ISBN 978-7-5356-2630-1

Ⅰ.手...Ⅱ.阿...Ⅲ.绳结—手工艺品—制作—
中国 Ⅳ.TS973.5

中国版本图书馆CIP数据核字(2007)第000079号

手工坊中国结DIY系列(一)

中国结基础篇

策　　划：越华文化
编　　著：阿　瑛
责任编辑：李　松　刘海珍
责任校对：徐　盾
封面设计：张　阳
出版发行：湖南美术出版社
　　　　　(长沙市东二环一段622号)
经　　销：湖南省新华书店
印　　刷：长沙湘诚印刷有限公司
开　　本：889×1194　1/32
印　　张：7.5
版　　次：2007年2月第1版　2007年2月第1次印刷
印　　数：1~6000册
书　　号：ISBN 978-7-5356-2630-1
定　　价：38.40元(共三册)

邮　　编：410016
网　　址：http://www.arts-press.com/
电子邮箱：market@arts-press.com
如有倒装、破损、少页等印装质量问题，
请与印刷厂联系赣换。